For Anna, who always laughs at my jokes.
Well, usually.
L.C.

To my young grandma, with love.
J.N.

Text copyright © 1993 Lindsay Camp
Illustrations copyright © 1993 Jill Newton
Dual language text copyright © 2008 Mantra Lingua

This edition 2008

Mantra Lingua
Global House
303 Ballards Lane, London N12 8NP
www.mantralingua.com
www.talkingpen.co.uk

चीते से मुकाबला

Keeping Up With Cheetah

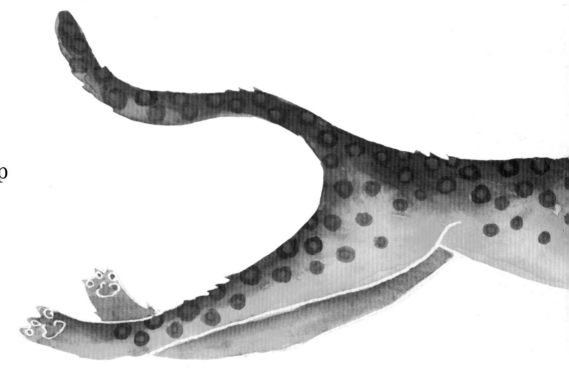

Written by Lindsay Camp
Illustrated by Jill Newton

Hindi translation by
Divya Mathur

Mantra Lingua

चीते और दरियाई घोड़े को चुटकुले बहुत अच्छे लगते थे। असल में, चीता चुटकुले सुनाता था और दरियाई घोड़ा बस सुनता और हंसता – एक गहरी हुँकार भरी हंसी। चुटकुले ज़्यादा मज़ेदार नहीं होते थे, पर दरियाई घोड़ा सोचता था कि वे मज़ेदार थे। और इसीलिए वे दोनों इतने अच्छे दोस्त थे।

Cheetah and Hippopotamus loved telling jokes. Actually, Cheetah told the jokes. Hippopotamus just listened and laughed – a deep, bellowy laugh. The jokes weren't very funny, but Hippopotamus thought they were. And that's why they were such good friends.

पर चीता दरियाई घोड़े की एक बात से चिढ़ता था – दरियाई घोड़ा ज़्यादा तेज़ नहीं दौड़ सकता था।

But one thing about Hippopotamus annoyed Cheetah – Hippopotamus couldn't run very fast.

"जल्दी करो दरियाई घोड़े," चीता बेसब्री से चिल्लाता।
"अगर तुम मेरे साथ साथ नहीं चल सके, तुम मेरा
नया चुटकुला नहीं सुन पाओगे।"

"Come on Hippopotamus," Cheetah would
shout impatiently. "If you can't keep up
with me, you won't hear my new joke."

पर इस बात का उस पर कोई असर नहीं हुआ। दरियाई घोड़ा चीते की तरह तेज़ दौड़ ही नहीं सकता था। इसलिए चीते ने शुतुरमुर्ग से दोस्ती कर ली।
दरियाई घोड़े को लगा के वह रो देगा। पर, रोने की बजाय वह दौड़ने का अभ्यास तब तक करता रहा जब तक कि उसकी साँस इतनी फूल गई कि उसे लेटना ही पड़ा।

But it was no good. Hippopotamus couldn't run as fast as Cheetah. So Cheetah made friends with Ostrich instead. Hippopotamus felt like crying. But, instead, he practised running until he was so out of breath that he had to lie down.

और वह जान गया कि वह फिर भी चीते का मुकाबला नहीं कर पाएगा।

And he knew he still couldn't keep up with Cheetah.

शुतुरमुर्ग मुकाबला कर सकता था, बस किसी तरह। चीते ने सोचा कि उसने कितनी चतुराई से शुतुरमुर्ग जैसा एक अच्छा नया दोस्त बना लिया था।

"शुतुरमुर्ग, क्या तुम मेरा नया चुटकुला सुनना चाहोगे?" चीते ने पूछा।

Ostrich could – very nearly, anyway. Cheetah thought how clever he was to have made such a good new friend.
"Would you like to hear my new joke, Ostrich?" he asked.

"नहीं, आपका धन्यवाद," शुतुरमुर्ग ने कहा। "मुझे चुटकुले सुनना अच्छा नहीं लगता। चलो, कुछ और दौड़ लगाते हैं।"

"No thank you," said Ostrich. "I don't like jokes. Let's run some more."

एक दिन के हिसाब से चीता काफ़ी दौड़ चुका था। उसका तो चुटकुले सुनाने का मन था। इसलिए उसने जिराफ़ से दोस्ती कर ली। अब दरियाई घोड़े ने चीते जितना तेज़ दौड़ने का पक्का इरादा कर लिया।

Cheetah had run enough for one day. He wanted to tell jokes. So he made friends with Giraffe instead. Now Hippopotamus was even more determined to run as fast as Cheetah.

इसलिए वह छिपकर जिराफ़ और चीते की चौकड़ियाँ देखने लगा। जिराफ़
की लम्बी टांगें हवा में उड़ रहीं थीं और अपने को सँभालने के लिए चीता
अपनी पूँछ को अपने दोनों तरफ़ घुमा रहा था।

So he hid and watched as Giraffe and Cheetah galloped by.
Giraffe's long legs flew out in front and Cheetah lashed
his tail from side to side to keep his balance.

तब दरियाई घोड़े ने वैसा ही करने का प्रयत्न किया।
यह आसान नहीं था।

Then Hippopotamus tried to do the same.
It wasn't easy.

दरियाई घोड़ा **धड़ाम** से गिर गया!
उसे चीते के बराबर आने में एक लम्बा
समय लगेगा।

Hippopotamus fell down with a CRASH!
It would be a long time before he could
keep up with Cheetah.

जिराफ़ मुकाबला कर सकता था – बस किसी तरह।

Giraffe could – very nearly, anyway.

"क्या तुम मेरा नया चुटकुला सुनना पसन्द करोगे, जिराफ़?" चीते ने पूछा।
"माफ़ कीजिए आपने क्या कहा?" जिराफ़ ने कहा। "इतना ऊँचे से मुझे कुछ
सुनाई नहीं दे रहा।"
"ऐसा अच्छा दोस्त भी क्या जो तुम्हारे चुटकुले ही न सुन सके?" चीते ने सोचा।

"Would you like to hear my new joke, Giraffe?" Cheetah asked.
"Pardon?" said Giraffe. "I can't hear you from up here."
"What's the good of a friend who doesn't even listen
to your jokes?" thought Cheetah crossly.

और फिर उसने लकड़बग्घे से दोस्ती कर ली।
जब दरियाई घोड़े ने ये देखा तो उसे गुस्सा आया और उसे तकलीफ़ हुई।
केवल एक ही चीज़ थी जिससे वह बेहतर महसूस कर सकता था।

And he made friends with Hyena instead.
When Hippopotamus saw this, he felt hot and bothered.
There was only one thing that would make him feel better.

एक अच्छी, लम्बी, गहरी, कीचड़ में लोट पोट।
दरियाई घोड़ों को कीचड़ में लोटना बड़ा अच्छा लगता है। जितनी भी गहरी
कीचड़ हो, उसे उतना ही ज़्यादा मज़ा आता है। पर उसने बड़े समय से
कीचड़ में लोट नहीं लगाई थी क्योंके चीते ने कहा था कि यह गंदी थी।

A good, long, deep, muddy wallow.
Hippopotamus loved wallowing. The deeper, the muddier, the more
he enjoyed it. But he hadn't had a wallow for a long time, because
Cheetah said it was dirty.

"तो ठीक है," दरियाई घोड़े ने सोचा, "मैं अपनी मर्ज़ी से कुछ भी कर सकता हूँ।" और उसने नदी में छलाँग लगी दी – छपाक! उसे बहुत मज़ा आया।

"Well," thought Hippopotamus, "I can do what I like."
And he dived into the river – SPLOOSH!
It felt wonderful.

जब वह वहाँ लेटा हुआ था, उसने सोचा कि वह भी कितना मूर्ख था।
वह तेज़ नहीं दौड़ सकता था, पर वह कीचड़ में तो लोट सकता था।
और हालांकि एक दोस्त गँवाने का उसे दुख था, वह जानता था कि
वह चीते की कभी भी बराबरी नहीं कर सकेगा।

As he lay there, he thought how silly he'd been. He couldn't run fast,
but he could wallow. And although he was sad to lose a friend,
he knew that he would never be able to
keep up with Cheetah.

लकड़बग्घा कर सकता था, बस किसी तरह। चीता बड़ा खुश
था। "ठक्क, ठक्क," चीते ने कहा।
"हाह-एह-हेहे-ही ही!" लकड़बग्घे ने कहा।

Hyena could – very nearly, anyway. Cheetah was very pleased.
"Knock knock," said Cheetah.
"Ha-hee-he-heeee!" said Hyena.

"तुम्हें कहना चाहिए था, 'वहाँ कौन है?'" चीता गुर्राया। "तुम्हें नया चुटकुला सुनाने का क्या फ़ायदा? अभी मज़े की बात तक तो मैं पहुँचा भी नहीं था कि तुम पहले ही हँस दिये।"

"हाह-एह-हेहे-ही ही!" लकड़बग्घा चीख़ा।

"You're supposed to say, 'Who's there?' " snapped Cheetah. "What's the point of telling my new joke, if you laugh before I get to the funny bit?"

"HAH-EH-HEH-HEE-HEE!" screamed Hyena.

तब चीते को समझ में आ गया कि उसे एक अलग किस्म का दोस्त चाहिए। वह अपने आप दौड़ सकता है, पर चुटकुले सुनाने का मज़ा तो तभी है जब कोई सुने – और मज़ेदार बातों पर ही हँसे। उसे ऐसा एक दोस्त कहाँ मिलेगा?

Then Cheetah realised that what he really needed was a different sort of friend. He could run by himself, but telling jokes was only fun if someone listened – and only laughed at the funny bits. Where could he find a friend like that?